KU-197-692

la petite SIRENE

Loi n° 49 956 du 16.07.1949
sur les publications destinées à la jeunesse
ISSN : 0154.7224
ISBN collection : 2.245.00525-2
ISBN ouvrage : 2.245.02542-3
Dépôt légal : septembre 1999
Imprimé à HongKong
chez C&C Offset Printing Ltd.

LE LIVRE DE PARIS-HACHETTE

Au fond de l'océan, dans le merveilleux royaume du peuple de la mer, vivait une adorable Petite Sirène. Elle s'appelait Ariel. La Petite Sirène passait le plus clair de son temps à bavarder avec son ami Polochon, le poisson :

« Parle-moi encore de ces gens étranges qui vivent au-delà de la mer », lui dit-elle.

« Eh bien, avant tout, dit Polochon, ces gens-là n'ont pas de nageoires ; ils n'ont pas de queue non plus : ils ont des jambes ! »

Ariel gloussa. Elle n'avait jamais entendu parler d'une chose aussi ridicule !

La Petite Sirène était si avide d'en savoir plus sur ces créatures fabuleuses qui vivent sur la terre ferme et se promènent sur de drôles de bateaux qu'elle en avait complètement oublié qu'aujourd'hui n'était pas un jour comme les autres.

En effet, c'était le jour où, comme chaque année,
son père Triton, le roi de la mer, donnait une grande fête.
Les sœurs d'Ariel dansaient pour les invités. Ariel, elle,
devait chanter, car c'était elle qui avait la plus jolie voix de
toutes les sirènes.

Le roi Triton était furieux, car la Petite Sirène n'arrivait
toujours pas. « Ma fête est gâchée ! » lui cria-t-il quand,
finalement, elle apparut. Puis il ordonna à Sébastien,
le crabe, de surveiller Ariel de très près.

La tâche de Sébastien allait se révéler ardue. En effet,
à peine le roi se fut-il éloigné qu'Ariel vit passer quelque
chose à la surface de l'eau. « C'est un bateau ! » s'écria-
t-elle, toute joyeuse.

Elle décida sur-le-champ d'aller le voir de plus près. Elle grimpa à bord du bateau et aperçut un charmant jeune homme que les matelots appelaient Prince Éric.

« Mon Dieu, qu'il est beau ! » soupira-t-elle.

Soudain, une énorme tempête se leva, menaçant de faire couler le navire. Les matelots réussirent à s'enfuir à bord d'un canot de sauvetage, mais le prince se cogna la tête et tomba dans les flots déchaînés.

Il n'y avait pas une seconde à perdre. Ariel savait que les hommes ne peuvent pas vivre sous l'eau. Elle décida donc de porter secours au prince.

Eurêka, le goéland, contemplait la scène avec étonnement.

Au prix de mille efforts, la Petite
Sirène, soutenant le prince évanoui, réussit
à rejoindre le rivage. Eurêka l'y attendait.

« Pourvu qu'il n'ait rien de grave ! » soupira-
t-elle.

Eurêka posa l'oreille sur les bottes du prince pour
voir si son cœur battait toujours ! « Je suis
désolé, Ariel, mais je crois bien qu'il est mort »,
lui dit-il.

Ariel n'arrivait pas à croire que le prince était mort.
Elle se pencha vers lui et perçut son souffle.
« Il respire ! Il respire ! » Elle en fut si heureuse
qu'elle se mit à chanter.

Le son merveilleux de son chant eut tôt fait de réveiller
le prince. Il se redressa pour voir qui chantait d'une si jolie
voix, mais il ne vit que son chien qui courait vers lui en
jappant de bonheur. La Petite Sirène avait replongé
dans les flots.

De retour sous la mer, Ariel ne pouvait s'empêcher de penser au prince. Elle errait tristement dans son domaine quand deux murènes qui rôdaient par là s'approchèrent d'elle.

« Viens avec nous, ma chère enfant », lui dit une des murènes d'un ton hypocrite. « Nous allons te présenter quelqu'un qui pourra certainement t'aider. »

Comme par magie, Ariel se
retrouva aussitôt dans la grotte d'Ursula, la sorcière
de la mer ! « Je suis d'accord pour t'aider, dit la sorcière,
mais à une condition. »

« Je vais te procurer des jambes, reprit la sorcière avec
un sourire fielleux, et toi, tu vas essayer d'obtenir un baiser
du prince. Mais s'il ne t'embrasse pas avant trois jours,
tu perdras tes jambes et tu seras précipitée au fond
de la mer où tu deviendras mon esclave pour toujours. »

« Attends, ce n'est pas tout ! ricana Ursula. Pour que tu ne puisses pas lui demander de t'embrasser, je veux que tu me laisses ta voix… » La pauvre Ariel avait tellement envie de revoir le prince qu'elle accepta le pacte et le signa.

Dès qu'Ariel eut signé le pacte, Ursula proféra une formule magique : la Petite Sirène fut instantanément changée en une ravissante jeune fille. Comme elle ne pouvait plus vivre sous l'eau désormais, ses amis se dépêchèrent de l'emmener sur la terre ferme. Ursula éclata d'un rire cruel.

Parvenue sur la plage, la Petite Sirène, tout étonnée, contemplait ses jambes. Eurêka n'y comprenait pas grand-chose. « C'est fou ce que tu as changé ! » lui dit-il. Mais Ariel ne pouvait rien lui expliquer puisqu'elle n'avait plus de voix !

Ariel tenta
de se mettre
debout pour
apprendre à
marcher. Mais
tenir en équilibre
sur des jambes
lui parut bien difficile !
« Tu n'a qu'à faire
comme moi », lui dit Eurêka.
« Pauvre petite fille, soupira Sébastien.
Comment tout cela va-t-il finir ? »

Soudain, elle entendit quelqu'un lui parler. C'était le prince Éric ! Il allait tous les jours promener son chien sur la plage dans l'espoir de retrouver la jeune fille qui lui avait sauvé la vie. Mais il ne savait même pas à quoi elle ressemblait ! Il ne se souvenait que de sa voix… Quand le prince vit Ariel sur la plage, il pensa que la pauvre enfant avait été rejetée sur le rivage après un naufrage.

La jeune fille ne disait pas un mot… Le prince, pensant
qu'elle avait peut-être été blessée lors du naufrage,
l'emmena dans son château. Il ordonna qu'on s'occupe
d'elle et qu'on lui procure de beaux habits.

Le prince aimait beaucoup Ariel et l'emmenait souvent faire des promenades en calèche à travers son royaume. Mais il était amoureux d'une autre… de celle qui lui avait sauvé la vie et qui possédait une voix merveilleuse… Hélas ! Éric ne savait pas que c'était la voix d'Ariel qu'il avait entendue, et Ariel ne pouvait pas le lui dire…

    Mais le temps passait… et le prince n'avait toujours pas embrassé la Petite Sirène. Ariel allait bientôt perdre ses jambes et devenir l'esclave de l'horrible Ursula ! Ils partirent faire du canotage. Dans la barque, le prince trouva Ariel si adorable qu'il eut envie de l'embrasser.

Les murènes, voyant ce qui allait se passer, firent chavirer la barque juste au moment où la Petite Sirène allait enfin recevoir son baiser !

Tout au fond de la mer, Ursula observait la scène dans sa boule de cristal. Pour être encore plus sûre que le prince n'embrasserait jamais la Petite Sirène, elle décida de se changer elle-même en une jolie jeune fille et de prendre la voix d'Ariel qu'elle gardait précieusement enfermée dans un coquillage.

Ursula, changée en une belle jeune fille, se promenait sur le rivage en chantant avec la voix d'Ariel. Le prince l'entendit et se précipita vers elle. « C'est vous qui m'avez sauvé la vie, lui dit-il. Je vous aime et je veux vous épouser aujourd'hui même ! »

L'affreux stratagème d'Ursula avait porté ses fruits.
Le prince Éric allait l'épouser le jour même sur
son bateau ! Ursula se regarda dans un miroir, se vit telle
qu'elle était en réalité, vieille et monstrueuse, et éclata
de rire. Eurêka, qui passait par là, vit, lui aussi, la vrai Ursula
et comprit tout…

Eurêka et Polochon se précipitèrent vers la Petite Sirène pour la mettre au courant de la présence de la sorcière et de ses horribles projets. « Ne t'inquiète pas, Ariel, nous allons t'aider », dit Eurêka. Polochon tira la Petite Sirène vers le bateau du prince.

Eurêka, qui était parti en éclaireur, vit que le prêtre était sur le point de marier le prince Éric et la cruelle Ursula. Eurêka appela tous ses amis les oiseaux à la rescousse.

Les oiseaux se ruèrent sur la sorcière et la malmenèrent
si durement qu'elle finit par lâcher le coquillage qui
contenait la voix de la Petite Sirène. Ariel récupéra sa voix
aussitôt et cria à Éric de se méfier d'Ursula et de ses
maléfices.

Mais il était trop tard. On était à la fin du troisième jour. Éric n'avait toujours pas embrassé Ariel et la Petite Sirène perdait ses jambes ! Ursula, redevenue vieille et horrible, empoigna Ariel et l'entraîna dans les flots. « J'ai réussi ! J'ai réussi ! » hurla-t-elle.

Éric avait enfin retrouvé celle qui lui avait sauvé la vie.
C'est lui à présent qui devait lui porter secours.
Attrapant un harpon, il plongea dans l'eau et le lança avec
une force surhumaine pour tenter d'atteindre la sorcière.

Mais Ursula n'avait pas dit son dernier mot… Elle s'enflait
de colère, gonflait, gonflait à en devenir gigantesque…
Elle battait la mer de ses tentacules, espérant ainsi

pulvériser le prince et la Petite Sirène. Éric serrait Ariel contre lui pour tenter de la protéger contre la fureur d'Ursula.

Le courageux jeune homme eut alors une idée. Il nagea
à toute allure vers son bateau, se hissa à bord, empoigna
le gouvernail et fit faire demi-tour au bateau. Ursula
s'imaginait que le prince allait prendre la fuite, mais,
à sa grande surprise, elle vit tout à coup le bateau foncer
droit sur elle. Du mât de son bateau, Éric visa la sorcière,
l'atteignit en plein cœur et la tua.

L'affreuse sorcière était anéantie. La seule chose que souhaitait désormais la Petite Sirène était de retrouver ses jambes pour pouvoir vivre avec son prince dans son château. Son père, le roi Triton, voyant que son amour pour le prince était profond, eut pitié d'elle. Il usa de ses pouvoirs magiques et lui rendit ses jambes.

La Petite Sirène fit ses adieux à son père et à Sébastien.
« Elle va me manquer, dit le roi Triton à Sébastien, mais
je sais qu'elle sera heureuse. » Et il avait bien raison…
Le prince Éric et la Petite Sirène se marièrent et
vécurent heureux jusqu'à la fin des temps.